Räuchern leicht gemacht

Räuchern leicht gemacht

garant

Vorwort

Räuchern – was früher eines der ältesten und wichtigsten Verfahren zur Konservierung von Lebensmitteln war – ist heute in erster Linie nur noch als köstliche Aromazugabe für Fleisch, Fisch, Geflügel, ja sogar für Käse, Eier und Gemüse zu sehen. Unter Räuchern verstehen wir die Einwirkung von Rauch auf das Gargut. Wir unterscheiden drei verschiedene Verfahren, das „Heißräuchern", das „Warmräuchern" und das „Kalträuchern". Allein durch die Erklärungen der Begriffe heiß, warm und kalt wird das Verfahren beschrieben. Neben dem Rauch ist auch die Hitze entscheidend für das Gelingen beim Räuchern. Beim Heißräuchern werden die Lebensmittel einer Temperatur von 50 bis 85 °C ausgesetzt, beim Warmräuchern liegt die Temperatur bei 20 bis 40 °C und beim Kalträuchern darf die Temperatur 25 °C nicht übersteigen.

Während beim Heiß- und Warmräuchern die Räucherzeit, je nach Produkt, 24 Stunden nicht überschreitet, so kann die Räucherzeit beim Kalträuchern bis zu sechs Monate dauern. Nur diejenigen Glücklichen, die noch in einem alten Bauernhaus mit Holzbefeuerung und der dazugehörigen Räuchereinrichtung im Kamin leben, oder diejenigen, die sich eine teuere Räucherkammer leisten wollen, können das Kalträuchern zuhause praktizieren. Für alle anderen kommt nur das Heiß- und Warmräuchern infrage. Wer dennoch sein eigenes Kaltgeräuchertes herstellen will, der kann nur das Vorbereiten der Produkte für das Räuchern selbst machen und anschließend bei einem befreundeten Metzger oder Schlachter nachfragen, ob dieser die Ware im großen Räucherschrank der Metzgerei miträuchert.

Das Heiß- und Warmräuchern ist zuhause ohne viel Aufwand und mit den einfachsten Mitteln zu bewerkstelligen. Derjenige, der den Räuchergeschmack liebt und die Räucherwaren sehr oft verwendet und in die verschiedensten Rezepte einarbeitet, der sollte sich einen Räucherofen zulegen. Diese Räucheröfen gibt es schon für kleines Geld, und Sie können damit Ihren Lebensmitteln ein feines Raucharoma geben. Bereits geräucherte Ware, die es ja in unzähligen Varianten im Handel gibt, kann durch das Heiß- und Warmräuchern nochmals aufgepeppt werden und erhält damit ein unvergleichliches Aroma.

Wer kein Geld ausgeben will, der kann mithilfe eines ausrangierten Kochtopfes, einigen Steinen, einem passenden Kuchengitter, den entsprechenden Sägespänen und Gewürzen sich selbst einen kleinen Räucherofen basteln. Legen Sie einige gleich hohe Steine in einen Topf, verteilen Sie die Sägespäne und Gewürze auf den Steinen und legen Sie dann ein Kuchengitter darauf. Legen Sie jetzt das vorbereitete, marinierte oder gewürzte Gargut auf das Gitter und decken Sie den Topf mit einem sauberen, nassen Küchentuch ab. Auf das Küchentuch legen Sie dann einen gut schließenden Deckel und beschweren diesen mit einigen Steinen. Anschließend stellen Sie den Topf auf die heiße, bei höchster Stufe vorgeheizte Ofenplatte und erhitzen das Ganze zwei bis drei Minuten. Nun wird die Temperatur auf die niedrigste Stufe zurückgestellt und das Gargut kann dann je nach Produkt darin 10 bis 30 Minuten geräuchert werden. Falls Sie diesen „hausgemachten Räucherofen" zuhause ausprobieren möchten, so ist es empfehlenswert, die Fenster zu öffnen, da sonst das Wohnzimmer gleich mitgeräuchert wird. Einen großen Erfolg dagegen werden Sie erzielen, wenn Sie das Räuchern auf dem Balkon oder im Garten bei Ihrer nächsten Grillparty präsentieren. Gerade der Grill eignet sich vorzüglich, diesen Räuchertopf einzusetzen.

Wie Sie sehen, ist Räuchern, abgesehen vom Kalträuchern, nicht schwer. Dennoch sollten Sie einige Dinge beachten, die wir auf den folgenden Seiten für Sie zusammengefasst haben. Doch wie vielseitig Geräuchertes in unserer Küche einzusetzen ist, zeigen Ihnen unsere Rezepte, die wir Ihnen in diesem Buch vorstellen wollen. Wir wünschen Ihnen beim Räuchern und Zubereiten unserer Rezepte viel Spaß und gutes Gelingen.
Guten Appetit!

Ihre Redaktion

Damit Sie beim Räuchern möglichst die optimale Qualität erhalten, wollen wir Ihnen einige Tipps und Tricks verraten. Grundsätzlich gilt auch beim Räuchern, dass die Qualität des Produktes, das Sie in den Räucherofen legen, auch wieder herauskommt. Nur beste Qualität ist gut genug, auf den Tisch des Hauses zu kommen, um Ihre Feinschmecker zu verwöhnen. Warm geräucherter, frischer Fisch ist einfach eine Delikatesse und am besten wird er, wenn er frisch aus dem Wasser kommt. Das Gleiche gilt für Fleisch, auch hier sollten Sie auf die beste Qualität achten.

Die Späne

Damit Ihr Räuchergut ein vorzügliches Aroma erhält, sollten Sie auch bei der Auswahl der Späne Sorgfalt walten lassen. Beim Räuchern werden Späne von Laubhölzern wie Erle, Eiche, Buche, Nussbaum, Kastanie, Obstbaum, Ahorn oder das amerikanische Hickoryholz verwendet. Birkenholz ist weniger gut geeignet, da es recht teerhaltig ist. Nadelhölzer sollten wegen des darin enthaltenen Harzes nicht verarbeitet werden. Die Späne werden unter dem Räuchergut in einer Schüssel, im Räucherofen oder der Räucherkammer entzündet und sollen darin glimmen. Damit das Räuchergut eine noch interessantere Geschmacksnote erhält, kann man den Spänen Kräuter und Gewürze wie Wacholderbeeren, Lorbeer, Nelken, Anis, Korianderkörner, Kümmel oder Zimt zufügen. Auch wenn man die Räucherspäne kaufen kann, so spricht nichts gegen die Verwendung selbst erzeugter Späne. Das Holz muss aber naturbelassen und gut abgetrocknet sein. Die Späne aus einem Maschinenhobel sind von der Struktur her gut geeignet, man sollte allerdings auch hier darauf achten, welches Holz verwendet wurde. Imprägniertes oder gar verleimtes Holz darf auf keinen Fall verwendet werden. Ebenso sind die anfallenden Späne beim Sägen mit einer Motorkettensäge unbrauchbar, da diese durch das Kettenöl verunreinigt sind. Gegen den Gebrauch von fertigen Räucherspänen, die in großer Auswahl im Handel angeboten werden, ist jedoch nichts einzuwenden,

Die Vorbereitung

Auch beim Räuchern gilt: Sauberkeit ist das erste Gebot. Jedes Stück, ob Fisch oder Fleisch, wird zuerst unter fließendem Wasser gewaschen und anschließend trocken getupft. Die Vorbereitung zum Räuchern wird in erster Linie durch die jeweilige Rohware bestimmt, die Sie räuchern möchten. Fisch und Fleisch, das in den Heiß- oder Warmrauch kommt, muss gewürzt oder mariniert werden. Beim Kalträuchern, das vor allem beim Räuchern von Fleisch – speziell bei der Herstellung von Schinken, Roh- und Brühwürsten sowie Bauchfleisch – angewendet wird, muss zusätzlich noch gepökelt, gewässert und getrocknet werden. Beim Heiß- und Warmräuchern wird das Produkt, das geräuchert werden soll, zuerst küchenfertig vorbereitet und anschließend gewürzt. Ein frisches Fischfilet kann zum Beispiel nach dem Waschen und Trockentupfen mit Zitronensaft und einer Gewürzsoße beträufelt werden. Nach dem Salzen und Pfeffern lässt man das Fischfilet im Kühlschrank noch 10 Minuten ziehen, um es dann, nachdem es trocken getupft wurde, im Räucherofen acht bis zehn Minuten heiß oder 30 bis 40 Minuten warm zu räuchern. Auch empfehlenswert ist das Marinieren. Hierbei können Sie wiederum je nach Produkt die verschiedensten Marinaden herstellen. Ob Rot- oder Weißwein, Bier, Fruchtsaft, Milch oder Buttermilch sowie Joghurt, verfeinert mit Kräutern und Gewürzen, Knoblauch, Zwiebeln oder klein geschnittenem Gemüse und abgerundet mit Obst- oder Kräuteressig und Honig oder Sirup, der Fantasie und dem Geschmack für eine solche Marinade sind keine Grenzen gesetzt. Je länger Sie das Räuchergut in die Marinade legen, desto intensiver wird das Aroma und in Verbindung mit dem Rauch entsteht ein köstlicher Genuss.

Das Pökeln

Wie schon erwähnt, müssen die verwendeten Produkte beim Kalträuchern gepökelt werden. Das küchenfertig vorbereitete Fleisch, das in der Regel vorgetrocknet wurde, kann auf verschiedene Arten gepökelt werden, wobei es hierbei auch viele verschiedene regionale Verfahren gibt. Für die Lake sollten Sie grundsätzlich Pökelsalz verwenden. Die Verwendung von normalem Kochsalz erzeugt eine Flüssigkeitsreduzierung des Fleisches und damit eine Reduzierung der Bakterienvermehrung, jedoch wirkt es nicht gegen die Graufärbung des Fleisches. Schon seit alters her wird dem Kochsalz eine geringe Menge Nitrat oder Nitrit zugeführt. Das Nitrit verbindet sich mit dem Muskelfarbstoff Myoglobin und sorgt so für die Umrötung des Fleisches. Durch die Zugabe von Ascorbinsäure wird zudem eine weitere Verbesserung der Konservierung bewirkt.

Beim Trockenpökeln wird das küchenfertige, gewaschene und getrocknete Fleisch mit Pökelsalz eingerieben und schichtweise in eine gut verschließbare Form eingelegt. Gut verschlossen und kühl gelagert kann das Fleisch so in der so genannten Eigenlake reifen. Dieser Reifeprozess beim Trockenpökeln dauert bei Stücken von 500 g etwa vier Tage.

Beim Nasspökeln wird das Fleisch in eine Salzlake eingelegt. Dabei muss die Flüssigkeit das Fleisch vollständig bedecken. Man rechnet auf einen Liter Wasser oder andere Flüssigkeit 100 g Pökelsalz und 10 g Zucker. Jetzt kann diese Salzlake noch mit verschiedenen Gewürzen, die Sie am besten in einem Mörser zerkleinern, verfeinert werden. Auch hier sollte das Ganze gut verschlossen und kühl gelagert werden. Der Reifeprozess bei Stücken von 500 g dauert beim Nasspökeln etwa drei Tage. Um den Reifeprozess beim Nasspökeln noch zu beschleunigen, können Sie die Lake auch in das Fleisch einspritzen. Damit sich die Lake im Fleisch noch besser und schneller verteilen kann, wendet der Metzger oder Schlachter ein mechanisches Verfahren – das Poltern – an; Hierbei wird das Fleisch geknetet.

Erfahrung macht den Meister und dies gilt vor allem für das Kalträuchern. Bevor Sie sich einen teuren Räucherofen oder gar eine Räucherkammer anschaffen, sollten Sie auf jeden Fall mit einem Profi sprechen, um keine unliebsamen Überraschungen zu erleben. Beim Heiß- und Warmräuchern dagegen können Sie sofort loslegen und köstliche Produkte zaubern, die Sie dann in unsere oder Ihre eigenen Rezepte einarbeiten können.

Unsere besten Rezepte aus der Räucherküche

Spargelcremesüppchen mit geräucherten Forellenfilets

Für 4 Personen:

500 g Spargel
1–2 EL Butter
2 Schalotten
500 ml Gemüsebrühe
Salz, Pfeffer aus der Mühle
1 Prise Cayennepfeffer
1 Prise Muskat
150 ml süße Sahne
Speisestärke zum Binden
einige Tropfen Zitronensaft
einige Tropfen Worcestersoße

Außerdem:
4 geräucherte Forellenfilets
Dillzweige und Rote-Bete-Sprossen zum Garnieren

1. Den Spargel putzen, dünn schälen und die unteren Enden abschneiden. Den Spargel in 3–4 cm große Stücke schneiden.

2. Die Butter in einem Topf erhitzen. Die Schalotten schälen, in feine Würfel schneiden, ins Fett geben und glasig schwitzen.

3. Den Spargel dazugeben und kurz mitschwitzen.

4. Die Gemüsebrühe angießen, zum Kochen bringen, mit Salz, Pfeffer, Cayennepfeffer und Muskat würzen und den Spargel bei mäßiger Hitze 12–15 Minuten garen.

5. ⅓ der Spargelstücke aus dem Sud nehmen und bereitstellen. Den restlichen Spargel im Mixer oder mit dem Pürierstab pürieren, durch ein Sieb streichen und erneut erhitzen.

6. Die Sahne einrühren und kurz einreduzieren lassen. Die Suppe mit etwas angerührter Speisestärke leicht binden.

7. Das Spargelcremesüppchen mit Salz, Pfeffer, Cayennepfeffer, Muskat, Zitronensaft und Worcestersoße abschmecken.

8. Die Spargelstücke und die in mundgerechte Stücke geschnittenen Forellenfilets hinzufügen und nochmals erhitzen.

9. Das Spargelcremesüppchen mit den Forellenfilets dekorativ anrichten, mit Dillzweigen und Rote-Bete-Sprossen garnieren und sofort servieren.

Tessiner Minestrone

Für 4 Personen:

1 Zwiebel, 2 Knoblauchzehen
2 Petersilienwurzeln
2–3 Karotten
300 g Blumenkohlröschen
2–3 Frühlingszwiebeln
2–3 EL Olivenöl
150 g durchwachsener, geräucherter Speck
100 ml Weißwein
1 l Gemüse- oder Fleischbrühe
Salz, Pfeffer aus der Mühle
1 Prise Cayennepfeffer
1 Prise Muskat
1 Lorbeerblatt
1 Zucchini
250 g gekochte Eiernudeln
250 g bissfest gegarter Reis
1 kleine Dose weiße Bohnen
1 kleine Dose braune Bohnen
Basilikum zum Garnieren

1. Die Zwiebel und die Knoblauchzehen schälen und fein würfeln. Die Petersilienwurzeln putzen, schälen, waschen, gut abtropfen lassen und in feine Würfel schneiden.

2. Die Karotten schälen und in Scheiben schneiden. Die Blumenkohlröschen verlesen, waschen und in mundgerechte Stücke schneiden. Die Frühlingszwiebeln putzen, waschen und in Stücke schneiden.

3. Das Olivenöl in einem Topf erhitzen. Den in feine Würfel oder Streifen geschnittenen Speck ins Fett geben und kurz anbraten.

4. Das Gemüse dazugeben und kurz mitbraten. Mit Weißwein ablöschen und mit der Gemüse- oder Fleischbrühe aufgießen.

5. Die Minestrone mit Salz, Pfeffer, Cayennepfeffer und Muskat kräftig würzen. Das Lorbeerblatt hinzufügen und die Minestrone bei mäßiger Hitze 12–15 Minuten köcheln lassen.

6. Die Zucchini putzen, waschen, in Scheiben schneiden, in die Minestrone geben und weitere 5–6 Minuten garen.

7. Zum Schluss die Eiernudeln, den Reis und die gut abgetropften Bohnen unter die Suppe heben und erhitzen.

8. Die Tessiner Minestrone nochmals kräftig abschmecken, dekorativ anrichten, mit Basilikumblättchen garnieren und sofort servieren.

Linseneintopf mit Äpfeln

Für 4 Personen:

250 g Linsen
Wasser zum Einweichen
1–2 EL Olivenöl
150 g durchwachsener, geräucherter Speck
2 Zwiebeln
400 g Kartoffeln
1 ½ l Gemüse- oder Fleischbrühe
1–2 EL Weißweinessig
1–2 EL Aceto balsamico
Salz, Pfeffer aus der Mühle
1 Zweig Thymian
1 Lorbeerblatt
1 Prise Zucker
2 säuerliche Äpfel
4 Paar geräucherte Würstchen
1 Bund Petersilie

1. Die Linsen unter fließendem Wasser waschen und in eine Schüssel geben. Wasser angießen und über Nacht einweichen.

2. Das Olivenöl in einem Topf erhitzen. Den in feine Würfel geschnittenen Speck hinzufügen und glasig schwitzen. Die Zwiebeln schälen, fein würfeln, zum Speck geben und kurz mitschwitzen.

3. Die Kartoffeln waschen, schälen und in mundgerechte Würfel schneiden. Mit den gut abgetropften Linsen zu den Speckzwiebeln geben und kurz dünsten.

4. Die Gemüse- oder Fleischbrühe angießen. Den Weißweinessig und den Aceto balsamico einrühren.

5. Mit Salz und Pfeffer abrunden. Den verlesenen Thymian und das Lorbeerblatt dazugeben und mit Zucker verfeinern. Den Linseneintopf bei mäßiger Hitze 40–50 Minuten garen.

6. Die Äpfel schälen, entkernen und in mundgerechte Würfel oder Scheiben schneiden. Mit den Würstchen 10–15 Minuten vor Garende in den Eintopf geben und erhitzen.

7. Den Linseneintopf mit Äpfeln nochmals abschmecken, dekorativ anrichten, mit der verlesenen, gewaschenen und fein gehackten Petersilie bestreuen, mit Petersilienzweigen garnieren und sofort servieren.

Hähnchensandwich mit Spinat

Für 4 Personen:

8 Scheiben Sandwichbrot
100 g Gorgonzola, 100 g Ricotta
einige Tropfen Zitronensaft
Salz, Pfeffer aus der Mühle
2–3 EL Butter, 1 Zwiebel
1 Knoblauchzehe, 400 g Spinat
1 Prise Muskat
400 g leicht geräucherte Hähnchenbrustfilets
4 dünne Scheiben Ananas
Zahnstocher
gefüllte Oliven, Paprikawürfel und Kresse zum Garnieren

1. Die Sandwichscheiben auf eine Arbeitsfläche legen. Den Gorgonzola mit dem Ricotta in einer Schüssel glatt rühren, mit Zitronensaft, Salz und Pfeffer abschmecken. Die Brotscheiben damit bestreichen.

2. Die Butter in einer Pfanne erhitzen. Die Zwiebel und die Knoblauchzehe schälen, fein würfeln, ins Fett geben und glasig schwitzen.

3. Den Spinat verlesen, waschen, gut abtropfen lassen, grob hacken, zu den Knoblauchzwiebeln geben und kurz dünsten. Vom Herd nehmen, mit Salz, Pfeffer und Muskat würzen und erkalten lassen.

4. Die Hähnchenbrustfilets in dünne Scheiben schneiden. Mit dem Spinat und den Ananasscheiben auf den Sandwichbroten anrichten.

5. Die Brote zusammenklappen, zweimal diagonal durchschneiden, mit Zahnstochern feststecken. Die Sandwichstücke dekorativ anrichten, mit Oliven, Paprikawürfeln und Kresse garnieren und servieren.

Sandwich mit Räuchercreme

Für 4 Personen:

8 Scheiben Sandwichbrot
250 g Magerquark
50 ml süße Sahne
100 g Räucherschinken
1 Zwiebel, 50 g getrocknete, eingelegte Tomaten, 1 Bund Basilikum
Salz, Pfeffer aus der Mühle
1 Prise Cayennepfeffer
einige Tropfen Zitronensaft
einige Tropfen Worcestersoße
Rucola und Kirschtomaten zum Garnieren

1. Die Sandwichbrote auf eine Arbeitsfläche legen. Den Quark mit der Sahne in einer Schüssel glatt rühren.

2. Den Räucherschinken in feine Würfel schneiden. Die Zwiebel schälen und fein würfeln. Die Tomaten fein hacken. Mit dem verlesenen, gewaschenen und fein geschnittenen Basilikum zur Quarkmasse geben und gut vermischen. Die Masse mit Salz, Pfeffer, Cayennepfeffer, Zitronensaft und Worcestersoße abschmecken.

3. Die Räuchercreme gleichmäßig auf die Brotscheiben streichen, diese zusammenklappen, diagonal zweimal zu Dreiecken schneiden. Die Sandwiches mit verlesenem, gewaschenem Rucola und halbierten Kirschtomaten garnieren und servieren.

(ohne Abbildung)

Winterlicher Räucherfischsalat

Für 4 Personen:

1 kleine Staude Chicorée
1 kleiner Kopf Radicchio
1 kleiner Kopf Lollo rosso
1 kleiner Kopf Eichblattsalat
2 Kästchen Kresse, 2 Tomaten
2 Stangen Staudensellerie
1 Avocado, 1 Birne
Saft von 1 Zitrone
200 g Schafskäse
4 geräucherte Forellenfilets
½ Tasse Feigenessig
1 Tasse Olivenöl
Salz, Pfeffer aus der Mühle

Außerdem:
1 Becher Joghurt
1 Becher Crème fraîche
2–3 EL mittelscharfer Senf
1–2 EL Paprikapulver edelsüß
Cayennepfeffer, Zucker

1. Die Blattsalate verlesen, waschen, gut abtropfen lassen, in mundgerechte Stücke zerpflücken und in einer Schüssel vermischen.

2. Die Kresse verlesen, waschen, klein schneiden und unter den Salat heben.

3. Die Tomaten waschen, den Strunk herausschneiden, die Tomaten klein schneiden, mit dem blanchierten, klein geschnittenen Staudensellerie unter den Blattsalat mischen.

4. Die Avocado schälen, halbieren, entkernen, klein schneiden und sofort mit Zitronensaft beträufeln.

5. Die Birne schälen, halbieren, entkernen, ebenfalls klein schneiden und mit Zitronensaft beträufeln.

6. Den Schafskäse und die geräucherten Forellenfilets klein schneiden, mit der Avocado und der Birne unter den Blattsalat heben.

7. Das Ganze auf Tellern dekorativ anrichten, mit Feigenessig und Olivenöl beträufeln, mit Salz und Pfeffer würzen.

8. Den Joghurt mit der Crème fraîche, dem Senf und dem Paprikapulver in einer Schüssel glatt rühren.

9. Das Dressing mit Salz, Pfeffer, Cayennepfeffer, Zucker und Zitronensaft kräftig abschmecken und gleichmäßig auf dem Salat verteilen. Den Salat garnieren und sofort servieren.

Feldsalat mit Kartoffeldressing und Räucherlachs

Für 4 Personen:

400 g Feldsalat
400 g geräucherter Lachs, in Scheiben geschnitten
6 Zitronenecken

Für das Dressing:
1 Zwiebel, 1 Bund Petersilie
Saft von 1 Zitrone, 2 EL Weinessig
2 EL mittelscharfer Senf
125 ml Olivenöl, 1 gekochte Kartoffel (ca. 50 g), Salz, Pfeffer, Cayennepfeffer, Muskat

Außerdem:
Dillzweige und kleine rote Chilischoten zum Garnieren

1. Den Feldsalat verlesen, waschen, gut abtropfen lassen und in mundgerechte Stücke zerpflücken.

2. Den Feldsalat mit dem Räucherlachs und den Zitronenecken auf Tellern dekorativ anrichten.

3. Für das Dressing die Zwiebel schälen und fein hacken. Die Petersilie verlesen, waschen, fein hacken, mit der Zwiebel, dem Zitronensaft, dem Weinessig und dem Senf in eine Schüssel geben und verrühren.

4. Das Olivenöl tropfenweise einrühren. Die geschälte Kartoffel mit einer Gabel fein zerdrücken und unter das Dressing ziehen.

5. Das Dressing mit Salz, Pfeffer, Cayennepfeffer und Muskat kräftig abschmecken und den Salat damit beträufeln.

6. Den Salat mit Dillzweigen und Chilischoten garnieren und sofort servieren.

Krabbencocktail „Raffinesse“

Für 4 Personen:

500 g geschälte Krabben oder Crevetten, Saft von 1 Zitrone
2 Frühlingszwiebeln
200 g Kirschtomaten
200 g Zuckermais
200 g Mischsalat

Für das Dressing:
150 g Joghurt, 50 g Crème fraîche
50 ml süße Sahne
1–2 EL mittelscharfer Senf
2–3 EL Tomatenketchup
Saft von 1 Limette
Salz, Pfeffer aus der Mühle
1 EL Curry
1–2 EL Johannisbeergelee
einige Tropfen Obstessig
einige Tropfen Weinbrand

Außerdem:
Radieschenscheiben und Basilikumblättchen zum Garnieren

1. Die Krabben oder Crevetten unter fließendem Wasser waschen, gut abtropfen lassen, mit Zitronensaft beträufeln und in eine Schüssel geben.

2. Die Krabben oder Crevetten auf einen Siebeinsatz legen und im Räucherofen kurz räuchern.

3. Die Frühlingszwiebeln putzen, waschen und in feine Scheiben schneiden. Die Kirschtomaten waschen und halbieren.

4. Den Zuckermais gut abtropfen lassen, mit den Frühlingszwiebeln, den Tomaten und den Krabben in eine Schüssel geben und alles vorsichtig vermischen.

5. Den Mischsalat verlesen, waschen, gut abtropfen lassen, in mundgerechte Stücke zerpflücken und hohe Gläser damit auslegen.

6. Für das Dressing den Joghurt mit der Crème fraîche, der Sahne, dem Senf, dem Tomatenketchup und dem Limettensaft in einer Schüssel glatt rühren. Mit Salz, Pfeffer und Curry kräftig würzen.

7. Das Dressing mit Johannisbeergelee, Obstessig und Weinbrand verfeinern.

8. Den Krabbensalat auf den Blattsalaten dekorativ anrichten, mit dem Dressing überziehen, mit Radieschenscheiben und Basilikumblättchen garnieren und sofort servieren.

Herbstliche Sauerkrautpastetchen

Für 4 Personen:

8 Scheiben Blätterteig (TK-Produkt), Butter für die Förmchen
2 EL Butter
100 g durchwachsener, geräucherter Speck
400 g geräucherte, grobe Bratwurst
2 Zwiebeln, 400 g Sauerkraut
2 Lorbeerblätter, einige Nelken
einige Pfefferkörner
100 ml Weißwein, 100 ml Gemüse- oder Fleischbrühe
Salz, Pfeffer aus der Mühle
1 EL gerebelter Majoran
1 TL Kümmel
1 Prise Cayennepfeffer

Außerdem:
2 Eigelbe, 50 ml Milch
Kräuterzweige zum Garnieren

1. Den Blätterteig auf einer Arbeitsfläche auftauen lassen. Acht Pastetenförmchen mit Butter ausfetten, den Blätterteig hineinlegen und jeweils eine Haube bereitlegen.

2. Butter in einer Pfanne erhitzen und den in feine Würfel geschnittenen Speck darin auslassen.

3. Die Bratwurst aus dem Darm streichen, mit den geschälten, fein gehackten Zwiebeln zum Speck geben und kurz anschwitzen.

4. Das zerpflückte Sauerkraut je nach Säuregrad unter fließendem Wasser waschen, gut abtropfen lassen, zum Speck geben und kurz mitschwitzen.

5. Die Lorbeerblätter, die Nelken und die Pfefferkörner hinzufügen.

6. Den Weißwein und die Gemüse- oder Fleischbrühe angießen und zum Kochen bringen. Die Sauerkrautmasse mit Salz, Pfeffer, Majoran, Kümmel und Cayennepfeffer kräftig abschmecken. Bei mäßiger Hitze 10 Minuten garen, vom Herd nehmen und erkalten lassen.

7. Das gut abgetropfte Sauerkraut in die Pastetenförmchen füllen, die Blätterteighauben aufsetzen und gut andrücken. Die Eigelbe mit Milch verrühren und die Pastetchen damit bestreichen.

8. Die Pastetchen in den auf 180 bis 200 °C vorgeheizten Backofen schieben und 25–30 Minuten backen. Die Sauerkrautpastetchen herausnehmen, dekorativ anrichten, mit Kräuterzweigen garnieren und sofort servieren.

Zucchinipuffer mit Forellenquark

Für 4 Personen:

600 g Zucchini, 1 Zwiebel
3 Eier, 3–4 EL Mehl
3–4 EL kernige Haferflocken
Salz, Pfeffer aus der Mühle
Cayennepfeffer, Zucker
1 Bund Kerbel
125 g geriebener Emmentaler
Pflanzenfett zum Ausbacken

Für den Quark:
200 g geräuchertes Forellenfilet
200 g Sahnequark, 2 EL Sahnemeerrettich, 50 ml süße Sahne
einige Tropfen Worcestersoße
einige Tropfen Zitronensaft

Außerdem:
Dillzweige und Cocktailtomaten zum Garnieren

1. Die Zucchini putzen, waschen und in eine Schüssel reiben. Die Zwiebel schälen, sehr fein hacken, mit den Eiern, dem Mehl und den Haferflocken zu den Zucchini geben und gut vermischen.

2. Die Masse mit Salz, Pfeffer, Cayennepfeffer und Zucker kräftig abschmecken und zum Schluss den verlesenen, gewaschenen, fein gehackten Kerbel untermischen.

3. Den geriebenen Emmentaler unter die Masse heben. Etwas Pflanzenfett in einer Pfanne erhitzen und die Zucchinipuffer portionsweise auf beiden Seiten goldgelb ausbacken.

4. Für den Forellenquark das geräucherte Forellenfilet enthäuten, fein hacken und mit dem Sahnequark und dem Sahnemeerrettich in eine Schüssel geben.

5. Den Forellenquark mit der Sahne glatt rühren, mit Salz, Pfeffer, Cayennepfeffer, Worcestersoße und Zitronensaft abschmecken.

6. Die Zucchinipuffer mit dem Forellenquark dekorativ anrichten, mit Dillzweigen und Cocktailtomaten garnieren und sofort servieren.

Schinkennudeln

Für 4 Personen:

300 g dünne Bandnudeln
Salzwasser
einige Tropfen Olivenöl

Außerdem:
2 Zwiebeln
250 g geräucherter, magerer Schinken
2–3 EL Butter oder Margarine
2 Karotten
1 Stück Sellerie
1 kleine Stange Lauch
200 g Kirschtomaten
Salz, Pfeffer aus der Mühle
1 Prise Muskat
1 Bund Schnittlauch
Kräuterzweige zum Garnieren

1. Die Bandnudeln im Salzwasser mit dem Olivenöl bissfest garen, abgießen, abschrecken, gut abtropfen lassen und bereitstellen.

2. Die Zwiebeln schälen und in feine Würfel schneiden, den Schinken in dünne Streifen schneiden.

3. Die Butter oder Margarine in einer Pfanne erhitzen und die Zwiebeln darin glasig schwitzen.

4. Die Schinkenstreifen dazugeben und unter ständigem Rühren kurz braten.

5. Die Karotten, den Sellerie und den Lauch putzen, waschen und in feine Streifen schneiden. Das Gemüse zum Schinken geben und kurz mitschwitzen.

6. Die Kirschtomaten waschen, den Strunk herausschneiden und die Tomaten halbieren.

7. Die Kirschtomatenhälften zum Gemüse geben und ebenfalls kurz mitdünsten.

8. Die Bandnudeln zum Schinkengemüse geben, kurz durchschwenken und braten.

9. Die Schinkennudeln mit Salz, Pfeffer und Muskat kräftig abschmecken und dekorativ anrichten. Mit dem verlesenen, gewaschenen und fein geschnittenen Schnittlauch bestreuen, mit Kräuterzweigen garnieren und sofort servieren.

10. Zu den Schinkennudeln serviert man einen großen, gemischten Salat mit einer Kräutervinaigrette.

Biskuitspinatrolle mit Lachs

Für 4 Personen:

1 kg Blattspinat
2–3 EL Butter
2 Schalotten
2 Knoblauchzehen
50 ml Weißwein
Salz, Pfeffer aus der Mühle
1 Prise Muskat
1 Prise Cayennepfeffer
2 Eier
2 EL Speisestärke
400 g geräucherter Lachs

Für die Biskuitmasse:
5 Eigelb
40 g flüssige Butter
75 g Mehl
2 EL Speisestärke
½ TL Backpulver
5 Eiweiß
1 TL Salz
Backpapier

Außerdem:
200 g Schmand

1. Den Blattspinat verlesen, waschen, gut abtropfen lassen und je nach Bedarf in Stücke schneiden.

2. Die Butter in einem Topf erhitzen. Die Schalotten und die Knoblauchzehen schälen, fein hacken, ins Fett geben und glasig schwitzen.

3. Den Blattspinat dazugeben und kurz dünsten. Mit Weißwein ablöschen, mit Salz, Pfeffer, Muskat und Cayennepfeffer würzen und 4–5 Minuten garen. Den Spinat vom Herd nehmen und vollständig erkalten lassen.

4. Überflüssige Flüssigkeit abgießen, die Eier, die Speisestärke und den in feine Stücke geschnittenen Räucherlachs unter den Spinat heben.

5. Für den Teig die Eigelbe in eine Schüssel geben und schaumig schlagen. Tropfenweise die flüssige Butter untermischen.

6. Das gesiebte Mehl mit der Speisestärke und dem Backpulver vermischen, mit einer Prise Muskat würzen und das Ganze unter die Eiercreme ziehen.

7. Das Eiweiß mit dem Salz in eine Schüssel geben, zu steifem Schnee schlagen und vorsichtig unter die Masse heben.

8. Ein Backblech mit Backpapier auslegen, die Biskuitmasse darauf verstreichen und im auf 180–200 °C vorgeheizten Backofen in 10–12 Minuten backen.

9. Den Biskuit herausnehmen, mit dem Schmand bestreichen, die Spinatmischung gleichmäßig darauf verteilen und zusammenrollen. Erneut auf ein mit Backpapier ausgelegtes Backblech setzen und bei 220 °C 6–8 Minuten backen.

10. Die Biskuitspinatrolle mit Lachs herausnehmen, in Scheiben schneiden, dekorativ anrichten, garnieren und sofort servieren. Sehr gut passt zur Biskuitspinatrolle ein gemischter Salat mit Tomatenvinaigrette.

Räucherforellentatar auf Sahnegurken

Für 4 Personen:

4 geräucherte Forellenfilets
1 Zwiebel
1 Salatgurke
½ Bund Dill
½ Bund Schnittlauch
150 g saure Sahne
Saft von ½ Zitrone
Salz, Pfeffer aus der Mühle
1 Prise Cayennepfeffer
1 Prise Zucker
50 ml Weißwein
5 Blatt weiße Gelatine

Außerdem:
200 ml süße Sahne
4 EL weißer Balsamicoessig
2 Tomaten, 1 EL eingelegte, rote Pfefferkörner
Dillzweige und Salatblätter zum Garnieren

1. Die Forellenfilets enthäuten, in Würfel schneiden und in eine Schüssel geben. Die Zwiebel schälen und fein würfeln. Die Salatgurke putzen, waschen, ein Stück Gurke in feine Würfel, den Rest in hauchdünne Scheiben schneiden.

2. Den Dill und den Schnittlauch verlesen, waschen, fein schneiden. Mit den Zwiebel- und Gurkenwürfeln zu den Forellenfilets geben.

3. Die saure Sahne mit dem Zitronensaft glatt rühren, mit Salz, Pfeffer, Cayennepfeffer und Zucker kräftig würzen.

4. Den Weißwein erhitzen, die gut gewässerte und ausgedrückte Gelatine darin vollständig auflösen lassen. Vom Herd nehmen und unter die saure Sahne rühren.

5. Die Sahnecreme zur Forellenmischung geben und vorsichtig verrühren. Das Ganze in dekorative Schälchen füllen und im Kühlschrank vollständig fest werden lassen. Die Sahne mit dem Balsamicoessig verrühren, mit Salz, Pfeffer, Cayennepfeffer und Zucker würzen.

6. Das Räucherforellentatar auf Gurkenscheiben dekorativ anrichten und mit der Sahne beträufeln. Mit den enthäuteten, entkernten und in Würfel geschnittenen Tomaten und den Pfefferkörnern bestreuen. Mit Dillzweigen und Salatblättern garnieren und mit Kartoffelplätzchen sofort servieren.

Kartoffelpizza mit rohem Schinken und Speck

Für 4 Personen:

800 g Kartoffeln
Salzwasser
2 Eier
100 g Mehl
1 Prise Muskat
1 EL Salz
2 EL Olivenöl
Mehl zum Ausrollen
Fett für die Förmchen

Außerdem:
2–3 EL Olivenöl
je 100 g durchwachsener, geräucherter Speck und roher Schinken
2 Zwiebeln
4 Tomaten
Salz, Pfeffer aus der Mühle
1 Prise Cayennepfeffer
Kräuterzweige und Kirschtomaten zum Garnieren

1. Die Kartoffeln unter fließendem Wasser abbürsten und im Salzwasser 20–25 Minuten garen, abgießen, leicht erkalten lassen und pellen. Durch die Kartoffelpresse in eine Schüssel treiben.

2. Die Eier mit dem gesiebten Mehl dazugeben, Muskat und Salz darüberstreuen. Das Olivenöl tropfenweise dazugeben und das Ganze zu einem glatten, kompakten Teig verkneten.

3. Den Kartoffelteig in vier Teile teilen und jedes Stück in der Größe einer Pizzaform (24 cm Durchmesser) ausrollen.

4. Den Kartoffelteig in die ausgefetteten Formen geben und einen Rand hochdrücken.

5. Das Olivenöl in einer Pfanne erhitzen. Den in sehr feine Würfel geschnittenen Speck und den Schinken darin kross braten.

6. Die Zwiebeln schälen, fein würfeln, zum Speck geben und kurz mitbraten.

7. Die Tomaten enthäuten, entkernen, in feine Würfel schneiden und zum Speck geben. Das Ganze mit Salz, Pfeffer und Cayennepfeffer würzen und gleichmäßig auf den Pizzen verteilen.

8. Die Kartoffelpizzen in dem auf 180–200 °C vorgeheizten Backofen in 20–25 Minuten garen, herausnehmen, dekorativ anrichten, mit Kräuterzweigen und Kirschtomatenhälften garnieren und sofort servieren.

Abgeschmolzene Maultaschen

Für 4 Personen:

Für den Teig:
300 g Mehl, 2-3 Eier
1-2 EL Wasser, 1 Prise Salz
Mehl zum Ausrollen

Für die Füllung:
1-2 EL Butter, 100 g durchwachsener, geräucherter Speck
1 Zwiebel, 250 g Blattspinat
Salzwasser zum Blanchieren
2 Scheiben Weißbrot
250 g gut gewürztes Kalbsbrät
1 Ei, Salz, Pfeffer aus der Mühle
Muskat, Cayennepfeffer
1 Bund Majoran
Salzwasser zum Garen

Außerdem:
100 g Butter, 4 Gemüsezwiebeln
Basilikumblättchen und
Tomatenhälften zum Garnieren

1. Das Mehl mit den Eiern, dem Wasser und dem Salz zu einem glatten, kompakten Teig verkneten. Den Teig zugedeckt 30 Minuten ruhen lassen. Anschließend auf einer bemehlten Arbeitsfläche nochmals durchkneten und die Häfte des Teiges dünn ausrollen.

2. Für die Füllung die Butter in einer Pfanne erhitzen, den in Würfel geschnittenen Speck dazugeben und auslassen. Die Zwiebel schälen, fein würfeln, zum Speck geben und glasig schwitzen. Vom Herd nehmen und in eine Schüssel geben.

3. Den Spinat verlesen, waschen, in kochendem Salzwasser blanchieren, herausnehmen, gut abtropfen lassen und fein hacken.

4. Die Weißbrotscheiben entrinden und in Würfel schneiden. Die Speckzwiebeln mit dem Blattspinat, den Weißbrotwürfeln, dem Kalbsbrät und dem Ei in eine Schüssel geben und zu einer Masse verarbeiten.

5. Die Masse mit Salz, Pfeffer, Muskat und Cayennepfeffer kräftig abschmecken. Den verlesenen, gewaschenen und fein gehackten Majoran untermischen.

6. Mit einem Messer auf dem Nudelteig die Größe der Maultaschen anzeichnen und in die Mitte der Maultaschen je eine Portion Füllung verteilen.

7. Die zweite Hälfte des Teiges hauchdünn ausrollen und die Teigplatte auf die Füllungen legen. Die Zwischenräume mit einem Kochlöffel festdrücken. Anschließend die Maultaschen mit einem Teigrädchen ausschneiden.

8. Salzwasser in einem Topf zum Kochen bringen und die Maultaschen darin in 6–8 Minuten garen, herausnehmen, gut abtropfen lassen und bereitstellen.

9. Etwas Butter erhitzen und die Maultaschen darin anbraten. Die Zwiebeln schälen, in feine Scheiben schneiden, mit der restlichen Butter in eine Pfanne geben und rösten, mit Salz und Pfeffer würzen.

10. Die Maultaschen dekorativ anrichten, mit den gerösteten Zwiebeln bestreuen, mit Basilikumblättchen und Tomatenhälften garnieren und sofort servieren.

FRUCHTIGE SPECKRÖLLCHEN

FÜR 4 PERSONEN:

100 ml Olivenöl
1 Chilischote
2 Knoblauchzehen
1 EL Sesamsamen
1 EL Korianderkörner
4 Tamarillos
200 g durchwachsener, geräucherter Speck
Zahnstocher
einige Salatblätter
1 kleines Glas Sahnemeerrettich
Kräuterzweige zum Garnieren

1. Das Olivenöl in einem Topf erhitzen. Die Chilischote halbieren, entkernen, waschen, fein würfeln, ins Olivenöl geben und einmal aufkochen lassen.

2. Die Knoblauchzehen schälen, fein würfeln, ins Fett geben und kurz mitschwitzen, vom Herd nehmen und bereitstellen.

3. Die Sesamsamen und die Korianderkörner in einem Mörser grob schroten, ins Olivenöl geben und kurz ziehen lassen.

4. Die Tamarillos putzen, waschen, in mundgerechte Stücke schneiden. Den Speck in hauchdünne Scheiben schneiden und die Tamarillostücke damit umwickeln. Mit Zahnstochern feststecken und auf dem Grill oder in der Pfanne braten.

5. Während der Garzeit öfter mit dem Gewürzöl bestreichen. Herausnehmen und auf Salatblättern dekorativ anrichten. Je eine Portion Sahnemeerrettich dazugeben, mit Kräuterzweigen garnieren und sofort servieren.

Fruchtige Fleischkäsespiesse mit Speck

Für 4 Personen:

600 g Fleischkäse
2–3 säuerliche Äpfel
Saft von 1 Zitrone
2–3 EL Olivenöl
1 EL Schwarzkümmel
150 g durchwachsener, geräucherter Speck
2–3 EL Butterschmalz
1–2 Stauden Chicorée
100 g Rucolasalat
200 g kleine Baumtomaten
1 Zwiebel
einige Tropfen Aceto balsamico
einige Tropfen Olivenöl
Salz, Pfeffer aus der Mühle
1 Bund Schnittlauch

1. Den Fleischkäse zuerst in 1 cm dicke Scheiben und anschließend in grobe Würfel schneiden.

2. Die Äpfel waschen, entkernen, in Schnitze schneiden und mit Zitronensaft beträufeln. Das Öl mit dem Schwarzkümmel verrühren und kurz ziehen lassen.

3. Den Speck in Stücke schneiden, mit den Äpfeln und dem Fleischkäse abwechselnd auf Spieße stecken und diese mit dem Schwarzkümmelöl bestreichen.

4. Das Schmalz erhitzen und die Spieße darin braten. Während der Bratzeit öfter mit dem Kümmelöl bestreichen. Sehr gut kann man die Fleischkäsespieße auch auf dem Grill garen.

5. Den Chicorée putzen, halbieren, den Strunk herausschneiden, den Chicorée waschen, abtropfen lassen und nach Bedarf klein schneiden. Den Rucola verlesen, waschen, abtropfen lassen und in Stücke zerpflücken.

6. Die Tomaten waschen, den Strunk herausschneiden und die Tomaten in Scheiben schneiden. Die Zwiebel schälen und würfeln. Mit dem Chicorée, dem Rucola und den Tomaten vermischen. Den Salat mit Aceto balsamico und Olivenöl anmachen, mit Salz und Pfeffer würzen.

7. Den Salat auf Tellern dekorativ anrichten. Die Fleischkäsespieße dazulegen, mit dem verlesenen, gewaschenen und fein geschnittenen Schnittlauch bestreuen, garnieren und sofort servieren.

Spargelpfannkuchen mit Räucherlachs

Für 4 Personen:

1 kg bissfest gegarter, weißer Spargel

Für den Teig:
200 g Mehl
250 ml Milch
125 ml Mineralwasser
4 Eier
Salz, Pfeffer aus der Mühle
1 Prise Muskat
Butterschmalz zum Ausbacken

Für die Hollandaise:
100 ml Weißwein
Saft von ½ Orange
4 Eigelb
einige Tropfen Zitronensaft
einige Tropfen Worcestersoße
Salz, Pfeffer aus der Mühle
1 Prise Zucker
250 ml handwarme, flüssige Butter

Außerdem:
500 g Räucherlachs
gehackte Kräuter zum Bestreuen
Kräuterzweige zum Garnieren

1. Den Spargel gut abtropfen lassen und bereitstellen.

2. Für den Teig das Mehl mit der Milch, dem Mineralwasser und den Eiern in eine Schüssel geben und zu einem glatten Pfannkuchenteig verrühren. Mit Salz, Pfeffer und Muskat würzen.

3. Butterschmalz in einer Pfanne erhitzen und portionsweise dünne Pfannkuchen ausbacken. Herausnehmen, je 1–2 Spargelstangen auf einen Pfannkuchen geben, diesen zusammenrollen und warm stellen.

4. Für die Hollandaise den Weißwein mit dem Orangensaft und den Eigelben in eine feuerfeste Schüssel geben.

5. Mit Zitronensaft, Worcestersoße, Salz, Pfeffer und Zucker kräftig abschmecken und auf dem Herd oder im Wasserbad zu einem Schaum aufschlagen.

6. Die handwarme, flüssige Butter tropfenweise unter den Orangenschaum ziehen.

7. Die Spargelpfannkuchen dekorativ anrichten und mit der Hollandaise übergießen.

8. Die Räucherlachsscheiben dazulegen. Das Ganze mit gehackten Kräutern bestreuen, mit Kräuterzweigen garnieren und sofort servieren.

Maccheroni mit Räucherwurstsosse

Für 4 Personen:

300 g Maccheroni, Salzwasser
einige Tropfen Olivenöl

Außerdem:
2 rote Zwiebeln
2–3 Knoblauchzehen
100 g durchwachsener, geräucherter Speck
2 EL Butterschmalz
200 ml Rotwein
1 Dose Pizzatomaten (400 g)
200 g geräucherte Kabanossi
Salz, Pfeffer aus der Mühle
1 Prise Chilipfeffer
1 TL gerebelter Oregano
1 TL gerebeltes Basilikum
50 g geriebener Parmesankäse
100 g schwarze, entsteinte Oliven
100 g roher, geräucherter Schinken, Basilikum, Oregano und Thymian zum Garnieren

1. Die Maccheroni im Salzwasser mit dem Olivenöl bissfest garen, abgießen, abschrecken und gut abtropfen lassen.

2. Die Zwiebeln und die Knoblauchzehen schälen und würfeln. Den Speck in feine Würfel schneiden.

3. Das Butterschmalz in einer Pfanne erhitzen und den Speck darin auslassen. Die Zwiebeln und den Knoblauch dazugeben und mitschwitzen.

4. Den Rotwein angießen, die Pizzatomaten hinzufügen und alles bei mäßiger Hitze 4–5 Minuten köcheln lassen.

5. Die Kabanossi in feine Würfel schneiden, in die Tomatensoße geben und weitere 2–3 Minuten köcheln lassen. Mit Salz, Pfeffer, Chilipfeffer, Oregano und Basilikum würzen.

6. Den geriebenen Parmesankäse mit den Oliven untermischen und kurz durchschwenken. Die Maccheroni dazugeben, erhitzen und nochmals abschmecken.

7. Die Maccheroni in der Wurstsoße auf heißen Tellern dekorativ anrichten.

8. Die rohen Schinkenscheiben zu Rosetten formen und auf die Maccheroni legen. Mit Basilikum, Oregano und Thymian garnieren und sofort servieren.

Fagottini mit Putenbrust und Pilzen

Für 4 Personen:

300 g Fagottini (Teigtaschen mit Ricottafüllung), Salzwasser
einige Tropfen Olivenöl

Außerdem:
400 g geräuchertes Putenbrustfilet, 100 g durchwachsener, geräucherter Speck
200 g frische Champignons
Saft von 1 Zitrone, 2 EL Olivenöl
1 Zwiebel, 2 Knoblauchzehen
je 200 ml Weißwein und Gemüse- oder Fleischbrühe
250 g Mascarpone
Salz, Pfeffer aus der Mühle
1 Prise Cayennepfeffer
½ Bund Schnittlauch
100 g Rucola

1. Die Fagottini im Salzwasser mit dem Olivenöl bissfest garen, abgießen, abschrecken, gut abtropfen lassen und warm stellen.

2. Das Putenbrustfilet unter fließendem Wasser waschen, trocken tupfen und in Würfel schneiden.

3. Den Speck in feine Würfel schneiden. Die Champignons putzen, waschen, in Scheiben schneiden und mit Zitronensaft beträufeln.

4. Das Olivenöl in einer Pfanne erhitzen. Das Fleisch darin unter ständigem Rühren braten.

5. Den Speck hinzufügen und kräftig mitbraten. Die Zwiebel und die Knoblauchzehen schälen, fein würfeln, mit den Champignons zum Fleisch geben und kurz mitbraten.

6. Den Weißwein und die Gemüse- oder Fleischbrühe angießen, zum Kochen bringen und bei mäßiger Hitze 10–15 Minuten köcheln lassen.

7. Den Mascarpone einrühren und das Ganze mit Salz, Pfeffer und Cayennepfeffer würzen.

8. Die Fagottini unter das Ragout mischen und erhitzen. Den frisch geschnittenen Schnittlauch und den verlesenen, gewaschenen Rucola dazugeben, nachwürzen und dekorativ anrichten. Mit Rucola garnieren und sofort servieren.

Bandnudeln mit Lachs

Für 4 Personen:

400 g Bandnudeln, Salzwasser
einige Tropfen Olivenöl

Außerdem:
400 g geräucherter Lachs
50 ml Sojasoße
einige Tropfen Zitronensaft
Salz, Pfeffer aus der Mühle
2–3 EL Butter, 1 Zwiebel
1 rote Paprikaschote
125 ml Gemüsebrühe, 1 Prise
Muskat, 300 ml süße Sahne
100 g geriebener Parmesankäse
Kräuterzweige zum Garnieren

1. Die Bandnudeln im Salzwasser mit dem Olivenöl bissfest garen, abgießen, abschrecken, gut abtropfen lassen und bereitstellen.

2. Den Lachs in feine Streifen schneiden, mit der Sojasoße und dem Zitronensaft beträufeln, mit Salz und Pfeffer würzen und im Kühlschrank 10 Minuten ziehen lassen.

3. Die Butter in einer Pfanne erhitzen. Die Zwiebel schälen, fein hacken, ins Fett geben und glasig schwitzen.

4. Die Paprikaschote halbieren, entkernen, waschen, in Würfel schneiden, zu der Zwiebel geben und kurz mitschwitzen.

5. Die Gemüsebrühe angießen, die Nudeln und den Lachs hinzufügen, kurz durchschwenken, mit Salz, Pfeffer und Muskat abschmecken. Die Sahne angießen und erhitzen.

6. Die Bandnudeln mit Lachs dekorativ anrichten, mit dem Parmesankäse bestreuen, mit Kräuterzweigen garnieren und sofort servieren.

Bucatini mit Tomaten und Speck

Für 4 Personen:

300 g Bucatini, Salzwasser
einige Tropfen Olivenöl

Außerdem:
2–3 EL Olivenöl
100 g durchwachsener, geräucherter Tiroler Speck
1 Zwiebel, 2–3 Knoblauchzehen
1 rote Chilischote
500 g Tomaten, 125 ml Weißwein
Salz, Pfeffer aus der Mühle
Zucker, Cayennepfeffer
100 g geriebener Parmesankäse
1 Bund Basilikum

1. Die Bucatini im Salzwasser mit dem Olivenöl bissfest garen, abgießen, abschrecken und gut abtropfen lassen.

2. Das Olivenöl in einer Pfanne erhitzen. Den Speck in feine Würfel schneiden, ins Fett geben und glasig schwitzen.

3. Die Zwiebel und die Knoblauchzehen schälen, fein würfeln, zum Speck geben und mitschwitzen.

4. Die Chilischote putzen, halbieren, entkernen, waschen, klein schneiden, zum Speck geben und kurz mitschwitzen.

5. Die Tomaten enthäuten, entkernen, in Würfel schneiden, mit dem Weißwein zum Speck geben und alles einmal kräftig aufkochen lassen.

6. Die Nudeln hinzufügen, durchschwenken, mit Salz, Pfeffer, Zucker und Cayennepfeffer kräftig abschmecken.

7. Die Bucatini mit Tomaten und Speck dekorativ anrichten, mit dem geriebenen Parmesankäse bestreuen, mit Basilikumblättchen garnieren und sofort servieren.

Geräucherte Hähnchenbrust mit buntem Salat

Für 4 Personen:

Für den Salat:
200 g gemischter Kräutersalat
1 kleiner Kopf grüner Salat
200 g Kirschtomaten

Für das Dressing:
100 ml süße Sahne
50 ml Weißweinessig
100 ml Gemüsebrühe
Salz, Pfeffer aus der Mühle
2–3 EL Honig
1 Prise Cayennepfeffer

Außerdem:
500 g geräucherte Hähnchenbrustfilets
gehackte Walnüsse zum Bestreuen

1. Die Kräutersalate und den grünen Salat verlesen, waschen, abtropfen lassen und in mundgerechte Stücke zerpflücken.

2. Die Kirschtomaten waschen, den Strunk herausschneiden, die Tomaten halbieren oder vierteln, mit den restlichen Salaten vermischen.

3. Die Sahne mit Essig, Brühe und Honig so lange verrühren, bis sich der Honig vollständig aufgelöst hat. Mit Salz, Pfeffer und Cayennepfeffer würzen.

4. Am besten frisch geräucherte, noch warme Hähnchenbrustfilets verwenden oder die schon erkalteten Hähnchenbrustfilets in dem auf 120 °C vorgeheizten Backofen erwärmen.

5. Den Salat anrichten, die geräucherten Hähnchenbrustfilets in Scheiben schneiden und auf den Salat legen.

6. Das Ganze mit dem Dressing beträufeln, mit gehackten Walnüssen bestreuen, garnieren und sofort servieren.

Bamberger Kartoffelpfanne

Für 4 Personen:

600 g Kartoffeln „Bamberger Hörnle“
Salzwasser
1 EL Kümmel

Außerdem:
1 Zwiebel
2 Karotten
100 g Champignons
Saft von ½ Zitrone
1 Zucchini
20 g Butterschmalz
100 g Wammerl (geräuchertes, gekochtes Bauchfleisch)
1 Paar Paprikawürstel oder Debrecziner
Salz, Pfeffer aus der Mühle
Kräuterzweige zum Garnieren

1. Die Kartoffeln mit einer Bürste unter fließendem Wasser säubern, in einem Topf mit Salzwasser und dem Kümmel aufsetzen und in 8–10 Minuten garen.

2. Die Kartoffeln abgießen, erkalten lassen und pellen. Die Zwiebel und die Karotten schälen und in Scheiben oder mundgerechte Stücke schneiden.

3. Die Champignons putzen, in Scheiben schneiden und mit Zitronensaft beträufeln. Die Zucchini putzen, waschen und in mundgerechte Stücke schneiden.

4. Das Butterschmalz in einer Pfanne erhitzen. Das Wammerl in Würfel schneiden, ins Schmalz geben und unter ständigem Rühren braten.

5. Die Zwiebel und die Karotten dazugeben und bei mäßiger Hitze 4–5 Minuten dünsten.

6. Anschließend die Kartoffeln, die Champignons und die Zucchini hinzufügen, durchschwenken und weitere 4–5 Minuten braten.

7. Die Würstchen in Scheiben schneiden, zum Gemüse geben und ebenfalls fünf Minuten mitbraten.

8. Die Bamberger Kartoffelpfanne mit Salz und Pfeffer kräftig würzen und fertig braten. Dekorativ anrichten, mit Kräuterzweigen garnieren und sofort servieren.

KARTOFFELPFANNE MIT SPECK

FÜR 4 PERSONEN:

800 g Kartoffeln
4 Zwiebeln
250 g durchwachsener, geräucherter Speck
2–3 EL Butterschmalz
Salz, Pfeffer aus der Mühle
1 EL Kümmel

Außerdem:
2–3 EL Butter
4 Eier
1 Kästchen Kresse
Petersilie zum Garnieren

1. Die Kartoffeln schälen, waschen und in Scheiben schneiden. Die Zwiebeln schälen und ebenfalls in Scheiben schneiden.

2. Den Speck in feine Würfel oder Streifen schneiden. Das Butterschmalz in einer Pfanne erhitzen, den Speck dazugeben und kurz anbraten.

3. Die Kartoffeln hinzufügen und bei mäßiger Hitze 8–10 Minuten braten. Die Zwiebeln dazugeben und weitere 8–10 Minuten braten.

4. Mit Salz, Pfeffer und Kümmel kräftig würzen.

5. Die Butter in einer zweiten Pfanne erhitzen. Die Eier aufschlagen, ins Fett geben und Spiegeleier braten, leicht salzen und pfeffern.

6. Die Kartoffeln dekorativ anrichten und je ein Spiegelei obenauf setzen. Das Ganze mit der verlesenen Kresse bestreuen, mit Petersilie garnieren und sofort servieren.

Zwiebelkuchen mit Speck

Für 4 Personen:

Für den Teig:
500 g Mehl, 150 g Butter
ca. 100 ml Wasser
1 Ei, 1 Prise Salz

Für die Füllung:
1,5 kg Gemüsezwiebeln
250 g durchwachsener, geräucherter Speck, 2–3 EL Olivenöl
1–2 EL gerebelter Majoran
Salz, Pfeffer aus der Mühle
Muskat, Cayennepfeffer
250 g Crème fraîche, 3 Eier
Fett für die Form

Außerdem:
250 g Magerquark, 50 ml süße Sahne, 50 g gemischte, gehackte Kräuter, Saft von 1 Zitrone
einige Tropfen Worcestersoße
Kräuterzweige und Tomatenecken zum Garnieren

1. Aus den Teigzutaten mit bemehlten Händen einen glatten, kompakten Teig kneten. Den Teig in ein Küchentuch wickeln und im Kühlschrank eine Stunde ruhen lassen.

2. Die Gemüsezwiebeln schälen und in feine Scheiben schneiden. Den Speck würfeln oder in Streifen schneiden. Das Öl erhitzen und den Speck darin auslassen.

3. Die Zwiebeln dazugeben und kurz dünsten. Mit Majoran, Salz, Pfeffer, Muskat und Cayennepfeffer abschmecken.

4. Die Crème fraîche mit den Eiern in einer Schüssel glatt rühren, mit Salz, Pfeffer, Muskat und Cayennepfeffer würzen.

5. Den Teig auf einer bemehlten Arbeitsfläche in der Größe einer Springform ausrollen, in die ausgefettete Springform legen und einen Rand hochziehen.

6. Die Zwiebelmasse gleichmäßig auf dem Teig verteilen. Mit der Eicreme überziehen und den Zwiebelkuchen im auf 180–200 °C vorgeheizten Backofen in 40–50 Minuten backen.

7. Den Magerquark mit der Sahne und den verlesenen, gewaschenen und fein gehackten Kräutern in einer Schüssel glatt rühren. Mit Zitronensaft, Worcestersoße, Salz und Pfeffer abschmecken.

8. Den Zwiebelkuchen aus dem Ofen nehmen und erkalten lassen. Aus der Form nehmen, mit dem Kräuterquark, den Kräuterzweigen und den Tomatenecken garnieren und servieren.

Kartoffelpuffer mit Räucherschinken

Für 4 Personen:

1 kg mehligkochende Kartoffeln
200 g Haferflocken
100 g geriebener Parmesankäse
2–3 EL mittelscharfer Senf
Salz, Pfeffer aus der Mühle
1 Prise Muskat
Butterschmalz zum Braten
150 g roher Schinken, in hauchdünne Scheiben geschnitten
Blattsalate, Tomatenecken und Lauchzwiebelringe zum Garnieren

1. Die Kartoffeln unter fließendem Wasser abbürsten, schälen, fein reiben und in eine Schüssel geben.

2. Die Haferflocken, den Parmesankäse und den Senf dazugeben und das Ganze zu einer Masse verarbeiten. Mit Salz, Pfeffer und Muskat würzen.

3. Butterschmalz in einer Pfanne erhitzen, den Kartoffelteig portionsweise hineingeben, flach drücken und auf beiden Seiten goldgelb ausbacken.

4. Den rohen Schinken zu Tütchen drehen, mit den Kartoffelpuffern dekorativ anrichten.

5. Das Ganze mit Blattsalaten, Tomatenecken und Lauchzwiebelringen garnieren und mit einem Meerretich-Preiselbeer-Dip sofort servieren.

(ohne Abbildung)

Geräuchertes Schäufele mit Linsen

Für 4 Personen:

250 g Tellerlinsen
1 Zwiebel
2 Knoblauchzehen
2 EL Butter
500 g Karotten
500 g Staudensellerie
500 ml Linsenfond oder Gemüsebrühe
8 Scheiben gepökeltes, geräuchertes und gekochtes Schäufele
Salz, Pfeffer aus der Mühle
1 Prise Muskat
2 Lorbeerblätter
dunkler Soßenbinder
4 EL Weißweinessig
1 EL Zucker
1 Bund Petersilie

1. Die Linsen unter fließendem Wasser abwaschen und in eine Schüssel geben. Wasser ohne Salz angießen und die Linsen über Nacht einweichen.

2. Die Linsen im Einweichwasser in einen Topf geben, zum Kochen bringen und bei mäßiger Hitze 30 Minuten garen. Anschließend die Linsen abgießen und den Fond dabei auffangen.

3. Die Zwiebel und die Knoblauchzehen schälen und fein würfeln. Die Butter in einem Topf erhitzen, die Zwiebel- und Knoblauchwürfel dazugeben und anschwitzen.

4. Die Karotten schälen und den Staudensellerie putzen. Karotten und Staudensellerie waschen, beides in Würfel schneiden, zu den Knoblauchzwiebeln geben und kurz mitbraten.

5. Den Linsenfond oder die Gemüsebrühe angießen und zum Kochen bringen. Das Schäufele einlegen und die Linsen untermischen.

6. Alles mit Salz, Pfeffer und Muskat würzen. Die Lorbeerblätter hinzufügen und das Ganze bei mäßiger Hitze 20 Minuten köcheln lassen.

7. Das Linsengemüse mit dunklem Soßenbinder leicht binden, mit Weißweinessig und Zucker je nach Geschmack süßsauer abschmecken.

8. Das Linsengemüse mit dem Schäufele dekorativ anrichten, mit der verlesenen, gewaschenen und fein gehackten Petersilie bestreuen und mit Spätzle sofort servieren.

Kohlrouladen in Speck-Tomaten-Sosse

Für 4 Personen:

1 kleiner Kopf Weißkohl
Salzwasser

Für die Füllung:
1–2 EL Butter
1 Zwiebel
500 g gemischtes Hackfleisch
2 altbackene, in Milch eingeweichte, Brötchen
2 Eier
2 EL mittelscharfer Senf
1 EL gerebelter Majoran
1 EL grüne Pfefferkörner
Salz, Pfeffer aus der Mühle
1 Prise Cayennepfeffer

Außerdem:
2–3 EL Butterschmalz
100 g durchwachsener, geräucherter Speck
1 Zwiebel
2 Knoblauchzehen
500 g Tomaten
250 ml Gemüsebrühe
1 Bund Schnittlauch

1. Die Weißkohlblätter ablösen, den Strunk herausschneiden. Das Salzwasser erhitzen und die Weißkohlblätter darin kurz blanchieren, herausnehmen, gut abtropfen lassen und je 2–3 Blätter auf einer Arbeitsfläche übereinanderlegen.

2. Für die Füllung die Butter in einer Pfanne erhitzen. Die Zwiebel schälen, hacken, ins Fett geben und glasig schwitzen. Vom Herd nehmen und in eine Schüssel geben.

3. Das Hackfleisch, die gut ausgedrückten Brötchen, die Eier, den Senf, den Majoran und die Pfefferkörner hinzufügen und alles zu einem glatten Teig verarbeiten.

4. Die Hackfleischmasse mit Salz, Pfeffer und Cayennepfeffer kräftig abschmecken und portionsweise auf den Kohlblättern verteilen.

5. Die Kohlblätter über die Hackfleischmasse schlagen und mithilfe eines Küchentuches zu Rouladen abdrehen.

6. Das Schmalz in einer Pfanne oder Auflaufform erhitzen und den in feine Würfel oder Streifen geschnittenen Speck darin auslassen.

7. Die Zwiebel und die Knoblauchzehen schälen, würfeln, zum Speck geben und mitschwitzen. Die Tomaten enthäuten, entkernen, in Würfel schneiden, mit der Gemüsebrühe zum Speck geben und erhitzen.

8. Die Kohlrouladen einsetzen und im auf 180–200 °C vorgeheizten Backofen in 20–25 Minuten garen.

9. Nach Ende der Garzeit die Kohlrouladen herausnehmen und dekorativ anrichten. Die Soße mit Salz und Pfeffer abschmecken, über die Kohlrouladen verteilen, mit dem frisch geschnittenen Schnittlauch bestreuen, garnieren und sofort servieren.

Schweinefilet im Hackfleisch-Speckmantel

Für 4 Personen:

1 Schweinefilet (500–600 g)
2 EL Butterschmalz
Salz, Pfeffer aus der Mühle

Außerdem:
200 g gemischtes Hackfleisch
1 altbackenes, in Milch eingeweichtes Brötchen
1 Ei
1–2 EL Dijon-Senf
1 EL grüne Pfefferkörner
1 Prise Cayennepfeffer
1 EL Butter
1 Schalotte
2 Knoblauchzehen
Semmelbrösel zum Binden
300 g durchwachsener, geräucherter Speck oder Frühstücksspeck (in dünne Scheiben geschnitten)
100 ml Malzbier
500 ml Schweinebratenfond
1 EL Zuckerrübensirup
2 EL Obstessig
Kräuterzweige und Tomatenecken zum Garnieren

1. Das küchenfertige Schweinefilet unter fließendem Wasser waschen und trocken tupfen. Das Schmalz in einer Pfanne erhitzen, das Schweinefilet darin auf allen Seiten scharf anbraten, salzen, pfeffern und bereitstellen.

2. Das Hackfleisch mit dem gut ausgedrückten, gehackten Brötchen, dem Ei, dem Dijon-Senf und den grünen Pfefferkörnern in eine Schüssel geben und vermischen. Mit Salz, Pfeffer und Cayennepfeffer kräftig würzen.

3. Die Butter in einer Pfanne erhitzen. Die Schalotte und die Knoblauchzehen schälen, fein hacken und in der Butter kurz anschwitzen.

4. Die Knoblauchschalotten vom Herd nehmen, zum Hackfleisch geben und untermischen. Die Masse mit Semmelbröseln leicht binden.

5. Den in feine Scheiben geschnittenen Speck auf eine Arbeitsfläche legen, etwas Hackmasse in der Mitte darauf verteilen. Das Filet einsetzen, mit dem restlichen Hackfleisch überziehen, glatt streichen und die Speckscheiben darumwickeln.

6. Etwas Schmalz in einem Bräter erhitzen und das Schweinefilet im Hackfleisch-Speckmantel einsetzen. Im auf 180–200 °C vorgeheizten Backofen in 20–25 Minuten garen.

7. Während der Garzeit öfter mit etwas Malzbier ablöschen. Zum Schluss den Schweinebratenfond angießen.

8. Das Schweinefilet im Hackfleisch-Speckmantel herausnehmen und warm stellen. Die Soße aufkochen lassen, mit Rübensirup, Obstessig, Salz und Pfeffer abrunden.

9. Das Schweinefilet in Scheiben schneiden, mit der Soße dekorativ anrichten, mit Kräuterzweigen und Tomatenecken garnieren und sofort servieren.

Geräucherter, gekochter Schweinebauch auf Speckkraut

Für 4 Personen:

2 Zwiebeln
2 Knoblauchzehen
1 EL Schweineschmalz
800 g Sauerkraut
100 ml Weißwein
200 ml Gemüse- oder Fleischbrühe
2 Lorbeerblätter
einige Nelken
einige Wacholderbeeren
100 g durchwachsener, geräucherter Speck
1 TL Zucker
Salz, Pfeffer aus der Mühle

Außerdem:
1 kg gepökelter, geräucherter und gekochter Schweinebauch
Kräuterzweige zum Garnieren

1. Die Zwiebeln und die Knoblauchzehen schälen und fein würfeln. Das Schweineschmalz in einem Topf erhitzen, Zwiebeln und Knoblauch darin anschwitzen.

2. Das Sauerkraut zerpflücken, je nach Säuregrad waschen, gut abtropfen lassen, zu den Knoblauchzwiebeln geben und anschwitzen.

3. Den Weißwein und die Brühe angießen, die Lorbeerblätter, die Nelken und die Wacholderbeeren hinzufügen.

4. Den Speck in feine Würfel schneiden und zum Sauerkraut geben. Mit Zucker, Salz und Pfeffer kräftig abschmecken und das Sauerkraut zugedeckt in 20–25 Minuten garen.

5. Den gepökelten, geräucherten und gekochten Schweinebauch auf das Sauerkraut legen und zugedeckt bei mäßiger Hitze 10 Minuten erhitzen.

6. Das Sauerkraut mit dem in Scheiben geschnittenen Schweinebauch dekorativ anrichten, mit Kräuterzweigen garnieren und mit Kartoffelpüree oder Bauernbrot sofort servieren.

Entenbrust mit Balsamico-Rotkohl

Für 4 Personen:

500 g Rotkohl, 125 ml Gemüse- oder Fleischbrühe
1 EL Salz, 75 ml Balsamicoessig
1 Granatapfel
4 cl Grenadinesirup
75 ml Orangensaft
50 ml Balsamicoessig
Salz, Pfeffer aus der Mühle
1 Prise Cayennepfeffer
75 ml Olivenöl

Außerdem:
2 Zwiebeln, Salzwasser
500 g geräucherte Entenbrustfilets
4 EL karamellisierte Haselnusskerne
Alfalfasprossen und Kräuterzweige zum Garnieren

1. Den Rotkohl putzen, den Strunk herausschneiden, den Rotkohl in feine Streifen schneiden und in eine Schüssel geben.

2. Die Brühe erhitzen. Das Salz über den Rotkohl streuen, diesen mit Weinessig beträufeln und mit den Händen kräftig durchkneten.

3. Die heiße Brühe angießen und den Rotkohl so lange kneten, bis er geschmeidig und weich ist.

4. Für das Dressing den Granatapfel halbieren, die Kerne herauslösen, mit dem Grenadinesirup, dem Orangensaft und dem Balsamicoessig in einer Schüssel verrühren. Mit Salz, Pfeffer und Cayennepfeffer kräftig abschmecken.

5. Zum Schluss das Olivenöl einrühren, den Salat mit dem Dressing anmachen und kurz ziehen lassen.

6. Die Zwiebeln schälen und in hauchdünne Scheiben schneiden. In etwas Salzwasser kurz blanchieren, herausnehmen, abtropfen lassen und unter den Rotkohlsalat heben.

7. Den Rotkohlsalat dekorativ anrichten. Die in dünne Scheiben geschnittenen, geräucherten Entenbrustfilets auf dem Salat anrichten, mit karamellisierten Haselnusskernen bestreuen. Das Ganze mit Alfalfasprossen und Kräuterzweigen garnieren und sofort servieren.

Schinkenkartoffeln mit Zwiebelkruste

Für 4 Personen:

1 kg festkochende Kartoffeln
Salzwasser
1–2 EL Butterschmalz
1 Zwiebel
200 g roher Schinken oder durchwachsener, geräucherter Speck
Salz, Pfeffer aus der Mühle

Außerdem:
600 g Zwiebeln
2 EL Butter
200 ml süße Sahne
125 g geriebener Emmentaler
1 Bund Petersilie

1. Die Kartoffeln unter fließendem Wasser waschen und im Salzwasser 20 Minuten garen. Die Kartoffeln abgießen, leicht erkalten lassen, pellen und in Scheiben schneiden.

2. Eine feuerfeste Form mit etwas Butterschmalz ausfetten, das restliche Butterschmalz in eine Pfanne geben und die geschälte, gehackte Zwiebel darin anschwitzen. Den Schinken oder den Speck in feine Streifen schneiden, zu der Zwiebel geben und mitschwitzen.

3. Die Kartoffeln hinzufügen, durchschwenken und mit Salz und Pfeffer würzen. Die Kartoffeln in die Auflaufform schichten.

4. Die geschälten, in Scheiben geschnittenen Zwiebeln mit der Butter in die Pfanne geben und kurz andünsten.

5. Die Sahne dazugeben und aufkochen lassen. Mit Salz und Pfeffer würzen und über die Kartoffeln verteilen. Die Schinkenkartoffeln mit dem Emmentaler bestreuen und im auf 180–200 °C vorgeheizten Backofen 15–20 Minuten backen.

6. Die Schinkenkartoffeln dekorativ anrichten, mit der verlesenen, gewaschenen und fein gehackten Petersilie bestreuen, garnieren und sofort servieren.

(ohne Abbildung)

Geräucherter Karpfen auf Rote-Bete-Salat

Für 4 Personen:

600 g Rote Bete
Gemüsebrühe zum Blanchieren
1 Zwiebel
½ Tasse Obstessig
Salz, Pfeffer aus der Mühle
1 Prise Cayennepfeffer
1 Prise Kümmelpulver
3–4 EL Olivenöl
1 Hand voll Sprossen oder Keime
einige Friséeblätter
4 geräucherte Karpfenfilets
1 Becher Sahnedickmilch
2–3 EL geriebener Meerrettich
einige Tropfen Zitronensaft

1. Die Rote Bete schälen, waschen, abtropfen lassen und in der Gemüsebrühe bissfest garen. Die Rote Bete herausnehmen, erkalten lassen, in dünne Scheiben schneiden und auf einem Teller dekorativ anrichten.

2. Die Zwiebel schälen, in Ringe schneiden, in der Brühe blanchieren und auf den Rote Bete verteilen.

3. Das Ganze mit Obstessig beträufeln, mit Salz, Pfeffer, Cayennepfeffer und Kümmelpulver bestreuen und zum Schluss mit dem Olivenöl beträufeln.

4. Die Sprossen oder Keime verlesen, waschen, gut abtropfen lassen und auf den Rote Bete anrichten.

5. Die Karpfenfilets halbieren und dekorativ auf dem Rote-Bete-Salat anrichten.

6. Die Dickmilch mit dem Meerrettich verrühren, mit Zitronensaft verfeinern, mit Salz, Pfeffer und Cayennepfeffer würzen. Die Meerrettich-Dickmilch zu den Karpfenfilets servieren.

Karpfenfilets auf Gemüse

Für 4 Personen:

2 Zwiebeln, 500 g Mischgemüse
1 Stange Lauch, 100 ml Weißwein
250 ml Gemüse- oder Fischbrühe
200 ml süße Sahne, Saft von
1 Limette, Zucker, Cayennepfeffer
Salz, Pfeffer aus der Mühle
4 geräucherte Karpfenfilets
Kräuterzweige zum Garnieren

1. Die Zwiebeln schälen und in Scheiben schneiden, das Mischgemüse und den Lauch putzen, waschen, in Stücke schneiden und alles in eine große Pfanne geben. Wein und Brühe angießen und das Gemüse darin bissfest garen.

2. Die Sahne in die Soße geben. Das Ganze einmal aufkochen lassen, mit Limettensaft, Zucker, Cayennepfeffer, Salz und Pfeffer kräftig abschmecken.

3. Die geräucherten Karpfenfilets auf das Gemüse legen und in dem auf 120 °C vorgeheizten Backofen erhitzen. Das Gemüse mit den Karpfenfilets dekorativ anrichten, mit Kräuterzweigen garnieren und sofort servieren.

(Abbildung Seite 8/9)

Seelachsspiesse mit Ananassosse

Für 4 Personen:

600 g Seelachsfilet
einige Tropfen Zitronensaft
einige Tropfen Worcestersoße
Salz, Pfeffer aus der Mühle
je 1 rote und grüne Paprikaschote
100 g durchwachsener, geräucherter Speck, in etwas dickere Scheiben geschnitten
geschrotete rote Pfefferkörner
2–3 EL Olivenöl

Für die Soße:
2–3 EL Butter, 1 Zwiebel
2 Knoblauchzehen, 100 ml Weißwein, 100 ml Ananassaft
200 ml süße Sahne
1 Msp. Safran
200 g Ananasstücke
Speisestärke zum Binden

Außerdem:
Salatblätter, Tomatenecken, Kräuterzweige und Zwiebelringe zum Garnieren

1. Die Seelachsfilets waschen, trocken tupfen und in Würfel schneiden. Mit Zitronensaft und Worcestersoße beträufeln, mit Salz und Pfeffer würzen und im Kühlschrank 10 Minuten ziehen lassen.

2. Die Paprikaschoten halbieren, entkernen, waschen und in Würfel schneiden. Den Speck in 2–3 cm große Stücke schneiden.

3. Die Seelachswürfel mit den Paprika- und den Speckwürfeln abwechselnd auf Holzspießchen stecken, mit Salz und Pfeffer würzen und mit den geschroteten roten Pfefferkörnern bestreuen.

4. Die Seelachsspieße mit Olivenöl bestreichen und in der Pfanne oder auf dem Grill garen.

5. Für die Soße die Butter in einem Topf erhitzen. Die Zwiebel und die Knoblauchzehen schälen, fein hacken, ins Fett geben und glasig schwitzen.

6. Mit Weißwein ablöschen, den Ananassaft und die Sahne angießen und das Ganze einmal aufkochen lassen. Die Soße mit Safran, Salz, Pfeffer, Zitronensaft und Worcestersoße abschmecken und die klein geschnittenen Ananasstückchen untermischen.

7. Die Soße aufkochen lassen und mit angerührter Speisestärke binden. Die Seelachsspießchen mit der Soße auf Tellern anrichten, mit Salatblättern, Tomatenecken, Kräuterzweigen und Zwiebelringen garnieren und sofort servieren.

Schollen mit Speck

Für 4 Personen:

4 küchenfertige Schollen
Saft von 1 Zitrone
einige Tropfen Worcestersoße
Salz, Pfeffer aus der Mühle
Mehl zum Wenden
Butter zum Braten
150 g durchwachsener, geräucherter Speck
Salatblätter, Kräuterzweige, Zitronenhälften und Tomatenröschen zum Garnieren

1. Die Schollen unter fließendem Wasser waschen und trocken tupfen. Mit Zitronensaft und Worcestersoße beträufeln, mit Salz und Pfeffer würzen und im Kühlschrank 10–15 Minuten ziehen lassen.

2. Die Schollen in Mehl wenden. Butter in einer Pfanne erhitzen und die Schollen darin braten, herausnehmen und warm stellen.

3. Den in feine Würfel geschnittenen Speck ins verbliebene Bratfett geben und kross braten.

4. Die Schollen auf Tellern dekorativ anrichten, mit den Speckwürfeln überziehen, mit Salatblättern, Kräuterzweigen, Zitronenhälften und Tomatenröschen garnieren und sofort servieren.

Geräucherte Forellenfilets mit Apfel-Sellerie-Salat

Für 4 Personen:

1 Knolle Sellerie, ca. 500 g
500 g Karotten, 2 säuerliche Äpfel
Saft von 2 Zitronen
50 g gehackte Walnusskerne
200 g Sauerrahm
150 g Mayonnaise
50 ml Weißweinessig
3 EL Honig
Salz, Pfeffer aus der Mühle
1 Prise Cayennepfeffer

Außerdem:
4 geräucherte Forellen
Apfelschnitze, Salatblättchen und Kräuterzweige zum Garnieren

1. Den Sellerie, die Karotten und die Äpfel schälen, waschen, in Stifte schneiden oder grob raspeln, in einer Schüssel vermischen und mit Zitronensaft beträufeln. Die gehackten Walnusskerne untermischen.

2. Den Sauerrahm mit der Mayonnaise, dem Weißweinessig und dem Honig in eine Schüssel geben und glatt rühren. Mit Salz, Pfeffer und Cayennepfeffer würzen.

3. Den Salat mit dem Dressing anmachen und im Kühlschrank mindestens eine Stunde ziehen lassen.

4. Die geräucherten Forellen mit einem scharfen Messer filetieren.

5. Den Apfel-Sellerie-Salat mit den geräucherten Forellenfilets dekorativ anrichten, mit Apfelschnitzen, Salatblättchen und Kräuterzweigen garnieren und sofort servieren.

Geräucherte Forellenfilets mit Mandel-Meerrettich-Dip

Für 4 Personen:

100 g Sahnemeerrettich
1 gehäufter EL frisch geriebener Meerrettich
50 g weiße, gemahlene Mandeln
200 g Crème fraîche
Saft von ½ Zitrone
1 EL geriebene Zitronenschale
Salz, Pfeffer aus der Mühle
1 Prise Zucker, 4 geräucherte Forellen, 30 g Mandelstifte
1 Bund Schnittlauch

1. Den Sahnemeerrettich mit dem frisch geriebenen Meerrettich, den gemahlenen Mandeln, der Crème fraîche, dem Zitronensaft und der Zitronenschale in einer Schüssel glatt rühren. Mit Salz, Pfeffer und Zucker kräftig abschmecken.

2. Die geräucherten Forellen mit einem scharfen Messer filetieren. Den Mandel-Meerrettich-Dip mit den Forellenfilets dekorativ anrichten.

3. Die Mandelstifte mit dem verlesenen, gewaschenen und geschnittenen Schnittlauch vermischen, über den Dip streuen, garnieren und sofort servieren.
(ohne Abbildung)

Fischfilets im Speckmantel

Für 4 Personen:

800 g festes weißes Fischfilet
Saft von 1 Zitrone
einige Tropfen Worcestersoße
Salz, Pfeffer aus der Mühle
1 Bund Salbei
100 g durchwachsener, geräucherter Speck, in hauchdünne Scheiben geschnitten (Bacon)
Zahnstocher

Außerdem:
50 g Butter, 1 Zwiebel
500 g Karotten
100 ml Weißwein
100 ml Gemüse- oder Fischbrühe
250 g grüne Erbsen (TK-Produkt)
Kräuterzweige und Zitronenecken zum Garnieren

1. Das Fischfilet unter fließendem Wasser waschen, trocken tupfen und in 4–5 cm breite Streifen schneiden. Mit Zitronensaft und Worcestersoße beträufeln, mit Salz und Pfeffer würzen und im Kühlschrank 10–15 Minuten ziehen lassen.

2. Den Salbei verlesen, waschen, gut abtropfen lassen und die Blätter abpflücken.

3. Die Fischstreifen mit Salbeiblättern belegen, zusammenrollen, in die Speckscheiben wickeln und mit Zahnstochern feststecken.

4. Die Butter in einer Auflaufform erhitzen. Die Zwiebel schälen, fein würfeln, ins Fett geben und glasig schwitzen.

5. Die Karotten schälen, in Scheiben schneiden, zu der Zwiebel geben und kurz mitschwitzen.

6. Den Weißwein und die Gemüse- oder Fischbrühe angießen und das Ganze im auf 180–200 °C vorgeheizten Backofen 15 Minuten garen.

7. Die Fischfilets im Speckmantel daraufsetzen, die Erbsen darüberstreuen und das Ganze weitere 15–20 Minuten im Ofen garen.

8. Nach Ende der Garzeit die Fischfilets herausnehmen, mit dem Gemüse dekorativ anrichten, mit Kräuterzweigen und Zitronenecken garnieren und sofort servieren.

Lauwarmer Räucherfischsalat

Für 4 Personen:

je 1 rote und grüne Paprikaschote
2 Karotten
200 g Zuckererbsenschoten
Salzwasser zum Blanchieren
3–4 Frühlingszwiebeln
50 ml Olivenöl
1 Zwiebel
2 Knoblauchzehen
200 g Shiitake-Pilze
Saft von 1 Zitrone
50 ml Weißwein
50 ml Gemüse- oder Fischbrühe
50 ml Weißweinessig
Salz, Pfeffer aus der Mühle
1 Prise Cayennepfeffer
1 Prise Zucker
200 g Eisbergsalat
4 geräucherte Forellen à 300 g
Kräuterzweige zum Garnieren

1. Die Paprikaschoten halbieren, entkernen, waschen und in Streifen schneiden. Die Karotten schälen, waschen und in feine Streifen schneiden.

2. Die Zuckererbsenschoten verlesen und waschen. Salzwasser in einem Topf erhitzen, die Schoten darin kurz blanchieren, herausnehmen, gut abtropfen lassen und in mundgerechte Stücke schneiden.

3. Die Frühlingszwiebeln putzen, waschen und in schräge Scheiben schneiden.

4. Das Olivenöl in einer Pfanne erhitzen. Die Zwiebel und die Knoblauchzehen schälen, fein würfeln, ins Fett geben und glasig schwitzen.

5. Die Shiitake-Pilze putzen, klein schneiden, zu den Knoblauchzwiebeln geben und kurz mitschwitzen.

6. Die Paprika- und Karottenstreifen und die Frühlingszwiebeln dazugeben und kurz dünsten.

7. Zum Schluss die Zuckererbsenschoten untermischen. Mit Zitronensaft, Weißwein, Gemüse- oder Fischbrühe und dem Weißweinessig aufgießen und bei mäßiger Hitze 2–3 Minuten dünsten. Vom Herd nehmen und vollständig erkalten lassen.

8. Das Gemüse mit Salz, Pfeffer, Cayennepfeffer und Zucker kräftig abschmecken.

9. Den Eisbergsalat verlesen, waschen, gut abtropfen lassen, in Streifen schneiden und unter das Gemüse heben.

10. Die geräucherten Forellen filetieren. Den Salat nachwürzen, dekorativ anrichten und mit den Forellenfilets belegen. Mit Kräuterzweigen garnieren und sofort servieren.

Rührreier mit Kieler Sprotten

Für 4 Personen:

8 Eier, 50 ml süße Sahne
Salz, Pfeffer aus der Mühle
1 Prise Muskat
1 Prise Cayennepfeffer
Butter zum Ausbacken
12–16 Kieler Sprotten
Kräuterzweige und Kirschtomaten zum Garnieren
frisch geschnittener Schnittlauch zum Bestreuen

1. Die Eier mit der Sahne in eine Schüssel geben und gut verschlagen. Mit Salz, Pfeffer, Muskat und Cayennepfeffer abschmecken.

2. Etwas Butter in einer Pfanne erhitzen. Die Eier ins Fett geben und auf einer Seite stocken lassen.

3. Anschließend die Eier mit einem Pfannenwender zusammenschieben, umdrehen und vollständig stocken lassen.

4. Die gestockten Eier zerpflücken und mit den Kieler Sprotten dekorativ anrichten.

5. Die Rührreier mit Kieler Sprotten mit Kräuterzweigen und halbierten Kirschtomaten garnieren und mit frisch geschnittenem Schnittlauch bestreut sofort servieren.

Feine Räucherfischplatte

Für 4 Personen:

2 geräucherte Forellenfilets
2 geräucherte Kräuterbücklinge
4 geräucherte Makrelen
200 g Räucherlachs
2 kleine Tomaten
einige Gurkenscheiben
einige Eischeiben
1 kleines Glas deutscher Kaviar

Außerdem:
1 Schale Cocktailsoße
1 Schale Meerrettichdip

1. Die Forellenfilets, die Kräuterbücklinge und die Makrelenfilets in mundgerechte Stücke schneiden. Die Räucherlachsscheiben zu Tütchen zusammendrehen.

2. Die Tomaten waschen und den Strunk herausschneiden. Die Tomaten mit einem scharfen, spitzen Messer rundherum zackenförmig in der Mitte einschneiden und auseinanderdrehen.

3. Die Gurkenscheiben auf eine Arbeitsfläche legen, je eine Eischeibe daraufsetzen und den Kaviar darauf verteilen.

4. Die geräucherten Fischstücke, die Räucherlachstütchen, die Tomatenhälften und die Gurken-Ei-Scheiben auf einer Platte dekorativ anrichten und mit der Cocktailsoße und dem Meerrettichdip sofort servieren.

(ohne Abbildung)

Register

garant Verlag GmbH, Renningen
www.garant-verlag.de

ISBN 978-3-86766-769-2